Les chevaux de la ville fantôme

L'auteur : Mary Pope Osborne a écrit plus de quarante livres pour la jeunesse, récompensés par de nombreux prix. Elle vit à New York avec son mari, Will, et Bailey, un petit terrier à poils longs. Tous trois aiment retrouver le calme de la nature, dans leur chalet en Pennsylvanie.

L'illustrateur : Philippe Masson, né à Rennes en 1965, est issu d'une famille de marins bretons. Actuellement, il vit à Tours avec son amie et ses deux enfants, Lucas et Mona. Il réalise également les dessins de la série Le château magique aux Éditions Bayard.

Aux parents et aux professeurs qui adorent la série
La Cabane Magique.

Titre original : *Ghost Town at Sundown*
© Texte, 1997, Mary Pope Osborne.
Publié avec l'autorisation de Random House Children's Books,
un département de Random House, Inc., New York, New York, USA.
Tous droits réservés.
Reproduction même partielle interdite.
© 2009, Bayard Éditions
© 2005, Bayard Éditions Jeunesse
© 2004, Bayard Éditions Jeunesse pour la traduction française
et les illustrations.

Conception et réalisation de la maquette : Isabelle Southgate.
Colorisation de la couverture ; illustrations de l'arbre, de la cabane
et de l'échelle : Paul Siraudeau.

Loi n° 49 956 du 16 juillet 1949
sur les publications destinées à la jeunesse.
Dépôt légal : 4e trimestre 2005 – ISBN : 978 2 7470 1846 3
Imprimé en Allemagne par CPI – Clausen & Bosse

Les **chevaux** de la ville fantôme

Mary Pope Osborne

Traduit et adapté de l'américain
par Marie-Hélène Delval

Illustré par Philippe Masson

DOUZIÈME ÉDITION

bayard jeunesse

L é a

Prénom : Léa

Âge : sept ans

Domicile : près du bois de Belleville

Caractère : espiègle et curieuse

Signes particuliers : ne manque jamais une occasion d'entraîner son frère, Tom, dans des aventures mouvementées, sans se soucier du danger.

Tom

Prénom : Tom

Âge : neuf ans

Domicile : près du bois de Belleville

Caractère : studieux et sérieux

Signes particuliers : aime beaucoup les livres, qui l'aident à se sortir de situations périlleuses.

Les onze premiers voyages de Tom et Léa

Tom et Léa ont découvert dans le bois de Belleville, perchée en haut d'un chêne, une cabane pleine de livres. C'est une

cabane magique !

Elle appartient à la fée Morgane, une magicienne et une célèbre bibliothécaire qui voyage à travers le temps et l'espace pour rassembler des livres.

Nos deux jeunes héros ont déjà vécu des **aventures extraordinaires !** Il leur suffit d'ouvrir un livre, de poser le doigt sur une image en souhaitant se trouver à l'endroit représenté, et ils y sont aussitôt transportés !

Au cours de leurs quatre dernières aventures, Tom et Léa ont dû sauver quatre livres pour la bibliothèque de la fée Morgane avant qu'ils ne soient détruits.

Les enfants ont fui les rues de Pompéi.

Ils ont failli être arrêtés par le Roi-Dragon !

Ils se sont retrouvés seuls sur un drakkar en pleine tempête.

★

Souviens-toi...

Ils ont assisté aux Jeux olympiques.

★

Nouvelle mission :

résoudre quatre énigmes
et récupérer leurs cartes de Maîtres Bibliothécaires

Merlin a confisqué les cartes MB de nos deux héros, car il les trouve trop jeunes et pas assez malins. Tom et Léa vont devoir lui prouver le contraire !

Trouveront-ils la solution de chaque énigme ? Éviteront-ils tous les dangers ?

 Lis vite les quatre nouveaux « Cabane Magique » !

★ N° 12 ★
Sauvés par les dauphins

★ N° 13 ★
Les chevaux de la ville fantôme

★ N° 14 ★
Dans la gueule des lions

★ N° 15 ★
Danger sur la banquise

Prêt à suivre Tom et Léa
dans leurs dangereuses aventures ?

Bon voyage !

Résumé du tome 12

★ ★ ★

Les cartes de Maître Bibliothécaire de Tom et Léa ont disparu ! Pour les récupérer, ils doivent résoudre quatre énigmes. La fée Morgane les envoie sous les mers, où se trouve la réponse à la première énigme. Grâce à un sous-marin découvert sur la plage, ils peuvent observer les fonds marins à la recherche d'un indice… Quel spectacle ! Ils voient des poissons, des hippocampes, des étoiles de mer… Mais leur balade tourne au cauchemar lorsqu'un requin croise leur route… Heureusement, des dauphins veillent sur eux !

Un lapin
à longues pattes

Léa se tient devant la maison, sous le porche, et contemple les bois, au bout de la rue. Elle murmure :

– J'ai une drôle d'impression. Je suis sûre que la cabane magique est de retour.

– Qu'est-ce qui te fait croire ça ? demande Tom, plongé dans un livre.

– Je viens de voir passer un lapin.

– Et alors ?

– Un lapin sur le trottoir, tu trouves ça normal ?

Tom se lève et rejoint sa sœur.

En effet, un lapin remonte la rue à grands bonds, se dirigeant vers les bois.

– Tu vois, dit Léa, c'est le signe que Morgane nous attend !

La petite fille dévale déjà les marches du porche.

– On ne peut pas partir maintenant, proteste Tom. Papa a dit que le dîner serait prêt dans dix minutes.

– Justement ! Cinq minutes pour aller, cinq minutes pour revenir. Quand on voyage avec la cabane, le temps s'arrête, tu le sais bien !

Tom attrape son sac à dos et s'élance derrière sa sœur en criant en direction de la cuisine :

– On revient dans dix minutes !

Ils arrivent bientôt dans le bois. Le soleil descend lentement derrière les arbres. Le lapin est assis au milieu du sentier.

Dès qu'il voit les enfants, il repart en sautant sur ses longues pattes et disparaît au pied du plus haut chêne.

– Je te l'avais bien dit, Tom ! s'écrie Léa. La cabane est là !

La fée Morgane est penchée à la fenêtre. Tom et Léa agitent joyeusement la main.

Ils sont toujours heureux de revoir la belle magicienne.

– Montez vite ! les invite celle-ci.

Tom et Léa escaladent l'échelle de corde, passent par la trappe et surgissent dans la cabane.

– On a suivi un drôle de lapin, dit Léa. C'est un de vos amis ?

– Peut-être bien, répond la fée d'un air mystérieux. J'ai parfois de drôles d'amis…

– Allons-nous partir quelque part ? demande Tom.

– Absolument ! Vous avez encore trois énigmes à résoudre pour que Merlin vous rende vos cartes de Maîtres Bibliothécaires, vous le savez. Êtes-vous prêts pour une nouvelle aventure ?

– Oui ! répondent les enfants d'une seule voix.

– Parfait ! Voici l'ouvrage qui va vous aider dans votre recherche.

La fée sort des plis de sa robe un album qu'elle tend à Tom. L'image de couverture représente une petite ville comme on en voit dans les westerns.

Le titre du livre est *Le Far West sauvage.*

Tom prend une grande inspiration. « Pas trop sauvage quand même, j'espère… », pense-t-il.

Morgane donne à Léa un parchemin roulé en disant :

– Vous le lirez quand la cabane magique se posera là-bas. C'est la deuxième des quatre énigmes. Je vous souhaite bonne chance !

– Merci !

Tom et Léa posent le doigt sur la couverture du livre, et disent en même temps :

– On souhaite être transportés ici !

Aussitôt, le vent commence à souffler, la cabane à tourner, plus vite, de plus en plus vite.

15

Tom ferme les yeux.

La cabane tourbillonne comme une toupie folle. Puis elle s'arrête. Le vent s'est tu.

Tout est tranquille. Tom ouvre les yeux. Une mouche bourdonne en voletant autour de sa tête.

Morgane a disparu.

Un serpent à sonnettes

Tom va se pencher à la fenêtre. L'air est sec et chaud. La cabane s'est posée sur un arbre solitaire, au milieu d'une immense prairie.

Le soleil est déjà bas à l'horizon, derrière les collines. Un peu plus loin, on aperçoit la petite ville représentée sur la couverture du livre. Elle paraît déserte et délabrée.

À l'extérieur de la ville, des tombes sont alignées dans un carré de terre sèche.

– C'est plutôt sinistre, murmure Léa, qui l'a rejoint.

– Oui, plutôt, approuve Tom. C'est quoi, le texte de l'énigme ?

Léa déroule le parchemin. Ils lisent tous les deux :

Si vous m'appelez,
Ma voix vous répond.
Mais suis-je quelqu'un,
Ou ne suis-je rien ?

Tom remonte ses lunettes sur son nez et relit l'énigme. Il grommelle :

– Quelqu'un qui répond ne peut pas être rien ! Je ne comprends pas…

Léa hausse les épaules :

– Forcément, c'est une énigme ! On ne peut pas comprendre tout de suite.

Autour d'eux, le silence est impressionnant. On n'entend que le bourdonnement des mouches et le souffle du vent.

– Voyons ce que dit le livre, propose Tom.

Il ouvre l'album, le feuillette. Il trouve bientôt l'image qu'il cherchait et lit :

Jusqu'en 1870, les diligences
transportant les voyageurs
du Nouveau-Mexique au Texas
s'arrêtaient à Crotale City,
une petite ville bâtie près d'une rivière.
Quand la rivière s'est asséchée,
les habitants sont partis.
Dix ans plus tard, Crotale City
n'était plus qu'une ville fantôme.

– Une ville fantôme…, répète Léa, troublée.

– Allons vite jeter un coup d'œil, dit Tom. On s'en ira avant qu'il fasse nuit.

– D'accord ! Dépêchons-nous !

Léa glisse déjà le long de l'échelle de corde. Tom range le livre et le parchemin dans son sac et suit sa sœur.

Debout au pied de l'arbre, ils observent les environs.

– Qu'est-ce qui fait ce bruit ? dit Léa.

– Quel bruit ?

La petite fille étouffe un cri et désigne quelque chose d'un doigt tremblant :

– Là !

À dix pas à peine, un long serpent les regarde, la tête dressée.

– Ce… Ça doit être un serpent à sonnettes, bafouille Tom. Filons !

Ils se mettent à courir.

Ils passent en trombe devant le cimetière et ne ralentissent qu'à l'entrée de la rue déserte.

– Attends une minute ! souffle Tom. Je voudrais vérifier quelque chose.

Il ouvre de nouveau le livre, tourne les pages, s'arrête sur une image et lit tout haut :

Le crotale est aussi appelé
serpent à sonnettes. Il possède
au bout de sa queue des anneaux
de corne qui cliquettent quand
il les agite. C'est sa façon de dire :
« Attention, je suis là !
Ne me marchez pas dessus ! »

– Le pauvre ! s'écrie Léa. Il a eu peur de nous !

– Je te signale que c'est un serpent TRÈS venimeux ! ajoute Tom.

– Justement ! C'était gentil de nous prévenir !

Tom referme le livre et grommelle :

– Je te signale aussi que cet endroit s'appelle Crotale City, autrement dit « la ville des serpents à sonnettes » ! Mais, puisque tu les trouves si gentils…

Léa se tait. Elle regarde autour d'elle.

La ville n'est en fait qu'une longue rue encadrée de vieux bâtiments de bois. Tout est silencieux. Trop silencieux…

– Un magasin ! s'écrie soudain la petite fille. Entrons, on trouvera peut-être la solution de l'énigme à l'intérieur !

Un écriteau à demi effacé sur la façade d'un des bâtiments indique :

MAGASIN GÉNÉRAL

Les enfants poussent la porte.

Ça sent le moisi ; d'épaisses toiles d'arai-

gnée pendent des hauteurs du plafond.

– Ce n'est peut-être pas très prudent…, murmure Tom.

– On jette juste un coup d'œil !

Ils entrent. Le plancher craque.

Au mur, un calendrier jauni indique : *Octobre 1878.*

– Regarde ça ! s'exclame Léa en brandissant une paire d'éperons.

– Ne touche à rien ! gronde Tom.

Léa continue son inspection :

– Des bottes ! Il y en a même à notre pointure !

– Elles ne sont pas à nous ! proteste Tom.

– Je sais. On peut quand même les essayer.

Tom prend les bottes que Léa lui donne, les retourne et les secoue vigoureusement.

– Qu'est-ce que tu fais ?

– Je vérifie s'il n'y a pas de scorpions à l'intérieur.

Finalement, les deux enfants enlèvent leurs baskets et enfilent les bottes.

– Ouille ! grogne Tom. Elles me serrent !

– Chut ! fait Léa. Écoute !

Tom se fige. Quelqu'un joue du piano quelque part !

– Si ça se trouve, c'est la voix dont parle l'énigme, murmure la petite fille, tout excitée. Tu sais, *ma voix vous répond…* ! Viens, allons voir !

Tom ramasse leurs baskets, les fourre dans son sac à dos et s'élance derrière sa sœur.

Une jument
à robe rouge

Dehors, on entend mieux la musique. C'est un air triste, qui résonne étrangement dans la ville déserte.

– Ça vient de là ! dit Léa.

Elle traverse la rue et marche vers un autre bâtiment, dont la façade est encore ornée de grandes lettres noires :

HÔTEL

Léa pousse une porte à double battant ; elle entre, Tom sur ses talons. Ils jettent un regard prudent à l'intérieur.

La lumière du soir éclaire à peine la

grande salle. Dans un coin on aperçoit un piano. Les touches s'enfoncent et se relèvent au rythme de la musique, mais… il n'y a personne !

– C'est un fantôme ! souffle Léa. Un fantôme qui joue du piano !

Soudain, les touches s'immobilisent, la musique se tait. Il fait froid, tout à coup.

– C'est… c'est impossible, bredouille Tom. Les fantômes, ça n'existe pas.

– On a bien vu celui d'une princesse égyptienne, tu te souviens ?*

– Oui, mais c'était en Égypte, à une époque très ancienne ! Attends, je regarde dans le livre !

Tom ressort de son sac l'album sur le Far West et trouve l'image d'une salle d'hôtel, avec des tables, un bar et un piano dans un coin. Il lit :

Le piano mécanique était
un instrument très populaire
au temps de la conquête de l'Ouest.
Cet instrument était actionné
par un système de cartes perforées.

– Ouf ! fait Léa. Si ce piano est mécanique, ce n'est pas un fantôme qui joue !

– Oui, mais… Qui l'a mise en route, la

mécanique ? Viens, Léa ! Cet endroit me donne la chair de poule.

À peine sont-ils sortis qu'ils entendent un bruit de sabots martelant le sol. Un nuage de poussière s'élève sur la route menant à la ville.

Bientôt, ils distinguent trois cavaliers poussant devant eux un petit troupeau de chevaux.

– Cachons-nous ! s'écrie Tom, effrayé.

– Mais où ?

– Là !

Tom désigne des tonneaux alignés sous le porche de l'hôtel. Les enfants grimpent chacun dans un tonneau et s'accroupissent au fond. Il était temps !

Les chevaux surgissent dans un fracas de tonnerre. À travers une fente, Tom aperçoit un tourbillon de sabots et de poussière.

– Ya ! Ya ! crient les cavaliers.

La troupe ralentit, puis s'arrête. Les chevaux soufflent bruyamment. La poussière qui retombe chatouille le nez de Tom. Il se pince les narines pour ne pas éternuer.

Une voix rude déclare :

– La rivière est à sec. Il n'y a plus personne, ici. C'est une ville abandonnée, une ville fantôme.

– Ne restons pas là ! dit une autre voix. Dressons plutôt le camp de l'autre côté de la colline !

Tom a beau se pincer le nez, il sent l'éternuement monter, monter…

Et, soudain, il laisse échapper un bruyant ATCHOUM !

– Vous avez entendu ? lance une troisième voix.

Tom se fait tout petit au fond de son tonneau.

Il colle son œil contre la fente et voit un magnifique cheval se cabrer en hennissant. Sa robe flamboie comme un soleil couchant, et il porte sur le front une tache blanche en forme d'étoile.

– On n'arrive pas à la tenir, celle-là, patron ! râle un cow-boy. Elle veut retrouver son poulain !

– On aurait dû l'emmener avec nous, remarque un autre.

– Il nous aurait ralentis, reprend la voix rude. On vendra la jument dès qu'on aura passé la frontière.

« C'est affreux ! pense Tom. Ils ont séparé la mère de son petit ! Léa doit en être toute retournée ! Pourvu qu'elle ne bondisse pas hors du tonneau pour protester ; elle en serait bien capable ! »

Mais les cow-boys rassemblent leurs bêtes, et le sol vibre de nouveau sous le choc des sabots. Le bruit de la galopade s'éloigne.

Tom et Léa sortent la tête de leur cachette et voient les cavaliers disparaître dans un nuage de poussière. Le silence revient, on n'entend plus que le bourdonnement des mouches.

– Ils sont trop méchants ! gronde Léa.

– C'est vrai, dit Tom. Mais on ne peut rien faire pour la pauvre jument.

Il s'extrait de son tonneau en grimaçant :

– Ouille ! Ces bottes me font trop mal !

Il s'assied devant le porche de l'hôtel, et tire sur la première botte.

– Tom, dit Léa, je crois qu'on *peut* faire quelque chose…

Le garçon lève la tête.

Un petit cheval aux longues jambes fines arrive au galop. Un bout de corde pend à son cou. Sa robe est rousse, et il porte sur le front une tache en forme d'étoile.

Les mains en l'air !

– C'est lui ! s'écrie Léa. C'est le poulain ! Le pauvre, il cherche sa mère !

Et elle court vers le jeune cheval.

– Doucement, Léa ! recommande Tom. Tu vas lui faire peur !

Il sort le livre de son sac et le feuillette rapidement. Il finit par trouver le bon paragraphe :

À la fin du XIXe siècle, des milliers de chevaux sauvages, les mustangs, vivaient dans les plaines de l'Ouest

américain. On capturait ces bêtes puissantes et rapides, excellentes pour les rodéos. Il était très difficile de dompter un mustang !

Léa s'est arrêtée à quelques pas du poulain, qui recule, l'air effrayé. La petite fille lui parle d'une voix douce, elle s'approche lentement, tranquillement…

Tom, lui, poursuit sa lecture. Il tombe sur un chapitre intitulé « Comment s'y prendre avec les chevaux » :

**Les règles de base sont simples :
une main ferme, une voix douce,
des gestes calmes, des encouragements
et des récompenses.**

C'est très intéressant ! Il sort son carnet pour noter les instructions :

Main ferme,
voix douce...

Et il ordonne à sa sœur :

– Surtout, Léa, ne bouge pas ! Je vais t'expliquer ce que tu dois faire !

Pendant ce temps, Léa s'est approchée assez du poulain pour attraper la corde nouée à son cou. Elle continue de le rassurer avec des mots tendres :

– Là ! Là, mon beau ! Tu es un bon petit cheval !

Tout en parlant, Léa attache le bout de la corde à la balustrade de l'hôtel.

Tom referme son carnet et déclare :

– Bon ! Écoute bien !

Léa caresse le front du poulain, embrasse les fins naseaux de velours. L'animal hennit doucement. Tom lève les yeux et reste bouche bée.

– Il est trop gentil, ce poulain ! s'écrie Léa. Je l'ai appelé Soleil Couchant ! Ça lui va bien, hein ?

Tom secoue la tête. Cette Léa ! Elle peut tout faire avec les animaux !

– Allons-y, Tom ! lance-t-elle. On va le ramener à sa mère.

– Tu es complètement folle ! D'abord, il faut qu'on trouve la solution de l'énigme. Ensuite, il va bientôt faire nuit. Enfin, ces types m'avaient tout l'air d'être des bandits !

– On ne peut quand même pas l'abandonner !

Tom sait bien que Léa ne renonce jamais. Il regarde le soleil, qui ne va pas tarder à disparaître derrière la colline. Puis il soupire :

– D'accord ! Mais il faut absolument que j'enlève ces bottes.

Il attrape le talon d'une botte dans ses deux mains et tire, tire de toutes ses forces. Une voix brutale le fait alors sursauter :

– Les mains en l'air !

Tom obéit. Léa aussi.

Un homme monté sur un grand cheval les menace de son revolver. Il a un visage osseux, tanné par le soleil, des yeux gris au regard perçant. Il s'exclame :

– Voilà bien les plus jeunes voleurs de chevaux que j'aie jamais rencontrés !

5

Le Maigre
et Le Gris

– On n'est pas des voleurs ! proteste Léa.

– Ah non ? Alors, que faites-vous avec mon poulain ?

– Trois cavaliers ont traversé la ville, explique la petite fille. Ils menaient plusieurs chevaux et la mère du petit. Ils ont dit qu'ils avaient laissé le poulain parce qu'il les aurait ralentis.

– Ces bandits m'ont volé mes mustangs ! gronde l'homme. Par où sont-ils partis ?

– Ils ont dit qu'ils camperaient de l'autre côté de la colline, reprend Léa. Alors, j'ai attrapé Soleil Couchant, et…

– Soleil Couchant ?

Léa sourit :

– C'est le nom que je lui ai donné. Ça lui va bien, hein ? On voulait le ramener à sa mère.

L'homme hoche la tête et range son revolver :

– Merci, Couette Blonde ! C'est courageux de votre part.

– Une jument ne supporte pas d'être séparée de son poulain, ajoute Tom gravement. Je l'ai lu dans le livre.

– Je vois que tu sais beaucoup de choses, Doubles Carreaux !

– Doubles Carreaux ?

– Un cow-boy a toujours un surnom, mon gars.

– Et le vôtre, c'est quoi ? s'enquiert Léa.

– Le Maigre ! Et voici Le Gris, dit l'homme en flattant l'encolure de son cheval.

– Ça vous va bien, à tous les deux, approuve la petite fille.

C'est vrai. Le cow-boy est grand et maigre, et sa monture est grise… de poussière !

– Mais, dites-moi, reprend Le Maigre, que faites-vous, tout seuls, à Crotale City ?

Tom se balance d'un pied sur l'autre, très embarrassé. Léa improvise :

– Eh bien, la diligence… Le conducteur nous a déposés ici pour… Mais c'était une erreur, parce que…

– Je vois…, fait Le Maigre.

– On va repartir par la prochaine diligence, enchaîne Léa.

– En ce cas, je vais reprendre mon poulain et tâcher de retrouver ces bandits.

Le cow-boy examine le ciel. Le soleil n'est plus qu'une grosse balle rouge, à l'horizon.

– Je ferais mieux d'y aller avant qu'il fasse nuit, murmure-t-il.

– On peut venir avec vous ? demande Léa.

– Non, Léa, on ne peut pas ! proteste Tom. Il faut qu'on reste ici pour… heu… pour attendre la diligence !

Le Maigre sourit :

– Ce n'est pas un boulot pour des gamins de votre âge. Tu as raison d'avoir peur, Doubles Carreaux !

– Je n'ai pas peur !

– S'il vous plaît, supplie Léa. Je voudrais tellement vous accompagner !

– Et toi, Doubles Carreaux ? Tu veux venir aussi ?

Tom voudrait surtout que Le Maigre arrête de l'appeler Doubles Carreaux ; mais il ne faut pas non plus qu'il le prenne pour un froussard :

– Bien sûr !

– Et la diligence ?

– Elle ne passera pas avant demain ! prétend Léa.

– En ce cas…

Le Maigre réfléchit en se grattant le menton :

– Je pourrais avoir besoin de deux assistants courageux. Seulement, il faudra m'obéir au doigt et à l'œil !

– Promis ! s'écrie Léa. Je peux monter Soleil Couchant ?

– Je ne le permettrais pas à n'importe quelle gamine, Couette Blonde ! Mais tu m'as l'air de savoir t'y prendre avec les chevaux. Accroche-toi à sa crinière !

Le cow-boy détache la corde et aide Léa à se hisser sur le dos du jeune cheval. Il accroche la corde à sa selle.

Puis il dit à Tom :

– Mets ton pied dans l'étrier, Doubles Carreaux ! Et donne-moi la main !

Il installe Tom devant lui. Puis il secoue les rênes :

– Ya !

– Ya ! répète Léa.

Le Gris part au trot ; Soleil Couchant trotte à côté de lui. Tom se cramponne au pommeau de la selle. Puis Le Gris prend le galop, imité par le poulain

À chevaucher ainsi, dans le soleil couchant, Tom se croirait presque un héros de western… si ses bottes ne lui faisaient pas tellement mal aux pieds !

6

Une étrange apparition

Le temps qu'ils arrivent au sommet de la colline, la nuit est tombée. Le vent fraîchit.

– Ho ! fait Le Maigre.

Les chevaux s'arrêtent.

– On aperçoit le campement des voleurs, là-bas, dit le cow-boy en désignant un bosquet en bas de la pente.

Les lueurs d'un feu dansent derrière les arbres. Les mustangs sont regroupés dans l'ombre.

L'un d'eux hennit longuement. Soleil Couchant dresse les oreilles.

– Écoutez ! chuchote le cow-boy. C'est ma jument. Elle a senti son petit. Ils ont dû l'attacher à un arbre, et laisser les autres libres.

– Vous avez un plan ? l'interroge Tom.

– Toi, Couette Blonde, tu restes ici avec le poulain. Nous deux, Doubles Carreaux, on s'approche du camp au pas. Tu feras tenir Le Gris tranquille pendant que j'irai détacher la jument.

Tom acquiesce tout en pensant : « Comment fait-on tenir un cheval tranquille ? »

– Dès que la jument sera libérée, continue Le Maigre, elle galopera vers son petit. À ce moment-là, Couette Blonde, tu fileras avec Soleil Couchant à bride abattue !

« Sauf qu'elle n'a pas de bride ! » pense encore Tom.

– Et on se retrouvera tous à Roc Rouge !

« C'est où, Roc Rouge ? » se demande Tom.

Mais Léa répond, tout excitée :

– Compris, patron !

– Parfait ! On y va, Doubles Carreaux !

Le Maigre agite les rênes, et Le Gris s'engage sur la pente.

Une grosse lune ronde éclaire le chemin. Des millions d'étoiles se sont allumées dans le ciel noir.

Soudain, des voix et des rires résonnent dans le silence. Tom frissonne.

Le cow-boy arrête son cheval et met pied à terre.

– N'approchons pas plus, chuchote-t-il. Prends les rênes, maintiens Le Gris tranquille et, surtout, silencieux !

– Oui, mais comment on… ?

Le Maigre est déjà loin.

Tom agrippe les rênes ; il ose à peine respirer. Pourvu que Le Gris ne bouge pas !

D'abord, le cheval semble avoir compris. Il reste parfaitement immobile.

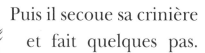

Puis il secoue sa crinière et fait quelques pas. « Oh, non ! » pense Tom, affolé.

Il essaie de se rappeler ce qu'il a lu dans le livre : *une main ferme, une voix douce…*

Il flatte l'encolure du cheval, tire fermement sur les rênes en faisant :

– Ho !

À son grand soulagement, Le Gris s'arrête.

Tom se souvient aussi : *encouragements et récompenses…* Il se penche et murmure à l'oreille de la bête :

– C'est bien, Le Gris ! Tu es un bon cheval !

Au même moment, des hennissements sonores s'élèvent, et les mustangs surgissent de l'ombre au grand galop.

Une voix furieuse hurle :

– Hé ! Les chevaux !

Un coup de feu éclate. Instinctivement, Tom rentre la tête dans les épaules.

– Demi-tour, Doubles Carreaux ! lui crie Le Maigre, qui arrive au galop. Fonce !

Le cow-boy chevauche la jument à cru*.

Tom a un instant de panique : il s'attendait à ce que le cow-boy remonte en selle derrière lui ! Et voilà que celui-ci le dépasse en trombe !

Là-haut, sur la colline, Léa démarre avec Soleil Couchant. La jument se précipite derrière son poulain, entraînant à sa suite toute la troupe des mustangs.

BANG ! BANG !

Tom secoue les rênes :

– Hue, Le Gris !

Le grand cheval s'élance. Tom manque d'être désarçonné. Il se cramponne désespérément au pommeau.

* Monter un cheval à cru, c'est le monter sans selle.

53

BANG ! BANG !

Les bandits ont sauté à cheval et foncent vers les fuyards en tirant des coups de feu. Le Gris triple l'allure. Tom se cramponne, mais il se sent glisser peu à peu.

Soudain, il tombe et roule dans l'herbe. Il ferme les yeux en pensant, épouvanté :

« Cette fois, c'est la fin… »

Il rouvre les yeux. Le Gris s'est arrêté et le regarde, les rênes pendant sur son cou.

Tom se relève, passe son pied dans l'étrier, essaie de se remettre en selle. Mais c'est trop difficile sans l'aide du cow-boy ! Les bandits se rapprochent.

Ils hurlent des menaces et des injures. Tom va être pris !

Brusquement, les chevaux des bandits se cabrent en hennissant. Le garçon se retourne.

Une haute silhouette blanche ondule au sommet de la colline ! En la voyant, les bandits tournent bride et s'enfuient dans l'autre sens, épouvantés.

Tom n'a pas le temps de se poser de question sur cette étrange apparition. Dans un dernier effort, il se remet en selle :

– Va, Le Gris ! Va !

Le Gris prend le galop, et tous deux, le garçon et le cheval, franchissent la crête de la colline *à bride abattue !*

Une histoire de fantôme

Où le cheval l'emporte-t-il ? Tom n'en a aucune idée. Mais il espère que Le Gris suit les autres chevaux.

En effet, ils rejoignent bientôt la petite troupe, qui s'est arrêtée en bas de la colline.

– Belle chevauchée, Doubles Carreaux ! le félicite Le Maigre.

Tom sourit :

– Merci !

Son surnom de cow-boy lui plaît bien, tout à coup.

– Où va-t-on, maintenant, patron ?

– On rejoint le canyon du Roc Rouge ! En route !

Le Maigre talonne la jument. Poussant ses mustangs devant lui, il les mène vers un étroit passage entre de hauts rochers.

Ils descendent au pas une pente très raide et débouchent enfin dans un cirque rocheux éclairé par la lune. C'est l'endroit appelé Roc Rouge.

– On va camper ici, déclare le cow-boy.

Il met pied à terre et aide Tom à descendre de sa monture. Léa se laisse glisser sur le sol, et Soleil Couchant trotte aussitôt vers sa mère.

La jument et son poulain se flairent, se caressent des naseaux, tout heureux de se retrouver.

Le cow-boy ôte la selle de son cheval, détache les sacoches et les tend à Tom :

– Pose ça dans ce coin d'herbe, on y sera bien pour dormir.

Tom transporte les lourdes sacoches. Il est si fatigué qu'il vacille sur ses jambes, mais pour rien au monde il ne voudrait être ailleurs !

Il pose les sacoches et se laisse tomber à côté. Léa le rejoint :

– Tu as vu comme ils sont contents d'être libres ! dit-elle en désignant les chevaux.

Tom hoche la tête. Il s'allonge dans l'herbe, glisse son sac à dos sous sa tête, en guise d'oreiller, et contemple un instant les étoiles.

Puis il murmure :

– Si on avait résolu l'énigme, tout serait parfait !

– Il n'y a qu'à lui demander ! propose Léa en désignant le cow-boy.

– Bonne idée !

Tom se redresse et lance :

– Dites, patron, connaissez-vous la réponse à cette énigme : « Si vous m'appelez, ma voix vous répond. Mais suis-je quelqu'un ou ne suis-je rien ? »

Le Maigre réfléchit longuement. Puis il secoue la tête :

– Aucune idée !

Tom cache sa déception de son mieux :

– Ça ne fait rien, merci tout de même !

– Moi aussi, j'ai une question, intervient Léa. Pourquoi le piano de l'hôtel jouait-il tout seul ?

– Ça, je sais ! Le pianiste, c'est le fantôme de Luke le Solitaire.

Tom saute sur ses pieds, tout excité :

– Je l'ai vu ! Tout à l'heure ! En haut de la colline ! C'est lui qui a fait fuir les voleurs de chevaux !

– C'est bien possible, approuve Le Maigre. Luke aime bien rendre service, de temps à autre.

Le cow-boy pose sa selle, s'y adosse et se met à raconter :

– Il y a bien longtemps de cela, Luke avait une fiancée dont il était très amoureux. Il avait l'habitude de jouer pour elle au piano la célèbre chanson *La rivière sans retour*. Mais la jeune fille ne supportait pas la vie dans l'Ouest. Et elle est partie.

Luke est devenu à moitié fou de douleur. Chaque soir, il venait à l'hôtel et jouait indéfiniment *La rivière sans retour*. Une nuit, il est parti tout seul dans la prairie, et personne ne l'a jamais revu. Un an plus tard, on a retrouvé ses ossements. On les a enterrés dans le petit cimetière de Crotale City. Depuis, son fantôme revient parfois jouer sur le piano de l'hôtel. C'est cet air-là, écoutez !

Le Maigre sort un harmonica et le porte à ses lèvres. C'est bien le même air si triste que Tom et Léa ont entendu à l'hôtel !

Les enfants s'allongent dans l'herbe pour écouter. Un coyote hurle au loin. Les chevaux s'ébrouent dans l'ombre.

« Je devrais noter tout ça dans mon carnet… », pense Tom.

Et il s'endort d'un coup, sans même avoir ôté ses bottes.

8

Suis-je quelqu'un ?

Une mouche bourdonne à l'oreille de Tom. Il la chasse de la main et ouvre les yeux. Le soleil passe déjà par-dessus les rochers. Il a dormi longtemps !

Léa et Le Maigre sont assis près du feu, buvant dans des tasses de métal.

– Café ? Biscuits ? propose Léa.

Le Maigre emplit une troisième tasse et la tend à Tom avec un biscuit.

Le biscuit est dur et le café amer. Peu importe ! Tom a l'impression d'être un vrai cow-boy.

– Je vais seller Le Gris, dit leur compagnon, et vous reconduire en ville pour que vous puissiez prendre la diligence.

– Et vous ? le questionne Léa.

– Je vais aller vers le sud, vendre mes mustangs. Puis je repartirai dans la plaine pour en capturer d'autres.

Pendant que Le Maigre selle son cheval, Tom sort son carnet et écrit :

Petit déjeuner de cow-boy :
Café amer, biscuits durs.

– Qu'est-ce que tu fais ? demande le cow-boy.

– Je prends des notes.

– Il aime écrire des choses, pour s'en souvenir, explique Léa.

– Vraiment ? Moi aussi ! Je suis même venu dans l'Ouest pour écrire un livre ! Finalement, je suis devenu chasseur de mustangs.

– Vous feriez mieux d'écrire votre livre, dit Léa. Et de laisser les mustangs en liberté !

– Tu crois ?

Il se tourne vers les chevaux, songeur.

– J'en suis sûre !

Le Maigre regarde toujours les bêtes. Il murmure :

– Tu as peut-être raison. Autant les laisser ici…

Puis il ramasse ses sacoches et les attache à la selle :

65

– En route ! Je vous ramène en ville, et après je chercherai un endroit agréable où m'installer pour écrire !

– Super ! s'enthousiasme Léa. Je vais annoncer ça à Soleil Couchant !

Tom met son sac sur son dos.

Le Maigre l'aide à se hisser devant lui, sur la selle. Le Gris trotte jusqu'à Léa, qui caresse le cou du poulain.

– Je lui ai dit que, maintenant, il était libre comme le vent ! s'écrie la petite fille.

– Parfait ! Donne-moi la main, Couette Blonde !

Le cow-boy la soulève jusqu'à lui et l'installe devant Tom. Il secoue les rênes, et Le Gris prend le trot. Le soleil tape fort, maintenant. Au bord du canyon, les chevaux paissent tranquillement.

– Reste bien près de ta maman, Soleil Couchant ! recommande Léa au poulain. Au revoir !

– Au revoir ! répond une voix.

La petite fille sursaute :

– Quelqu'un a parlé ? C'est peut-être le fantôme ?

– Mais non, dit Tom. C'est un écho.

Il met ses mains en porte-voix et lance :

– HO HO !

L'écho répond :

– HO HO !

– Tu vois, reprend Tom. Ce n'est pas quelqu'un, c'est…

– Tom ! souffle Léa. J'ai trouvé ! « Suis-je quelqu'un ou ne suis-je rien ? » La solution de l'énigme, c'est…

– ÉCHO ! s'exclament les deux enfants en même temps.

9

Luke le Solitaire

Le cheval et ses trois cavaliers arrivent bientôt à Crotale City.

– Laissez-nous devant l'hôtel, demande Tom.

– Vous êtes sûrs que la diligence passe ici ? s'inquiète Le Maigre.

– Oui, oui ! affirme Léa. On aura bientôt quitté la ville.

Le cow-boy dépose ses passagers devant l'entrée du vieil hôtel :

– J'espère qu'on se reverra ! Si j'écris mon livre, j'aimerais vous l'offrir !

– On sera contents de le lire ! lui assure Léa.

– Au revoir, Couette Blonde ! Au revoir, Doubles Carreaux ! Merci pour votre aide et pour vos conseils ! Grâce à vous, je vais peut-être devenir écrivain !

– Et nous, répond Tom, grâce à vous, on a vécu une merveilleuse aventure !

Le cow-boy fait claquer ses rênes, et Le Gris se met en route.

Au bout de la rue, Le Maigre se retourne et lève le bras :

– Au fait ! Mon vrai nom, c'est Slim Cooley !

Et il s'éloigne au galop.

Tom soupire :

– Je vais enfin pouvoir retirer mes bottes !

– Moi aussi, dit Léa.

Tous deux s'assoient sur la marche et se déchaussent. Tom remue ses doigts de pieds avec délices. Puis il sort de son sac leurs deux paires de baskets :

– Ouf ! Ça va mieux !

Soudain, un air de piano résonne derrière eux.

– Luke le Solitaire ! souffle Léa.

Les enfants se lèvent, poussent la double porte. Une silhouette brumeuse flotte devant l'instrument. À leur entrée, le fantôme se tourne vers eux et leur adresse un petit signe de la main.

Puis la musique se tait, la silhouette s'efface. Un courant d'air froid traverse la salle déserte.

Les enfants frissonnent.

– On s'en va, décide Tom.

Ils sortent de l'hôtel, remontent la rue, longent le cimetière abandonné. Ils courent jusqu'à l'arbre où les attend la cabane magique.

Ils grimpent à l'échelle. Léa se précipite sur le parchemin et le déroule. Un mot y scintille, écrit en grandes lettres d'or :

ÉCHO

– Gagné ! s'écrie la petite fille.

Tom prend le livre qui va leur permettre de rentrer chez eux, il pose le doigt sur l'image de leur bois et dit :

– Nous souhaitons revenir ici !

Le vent se met à souffler, la cabane à tourner. Plus fort, plus vite, encore plus vite… !

Puis tout s'arrête, tout se tait.

Le livre du cow-boy

Le soleil descend lentement derrière les bois. Léa va déposer le parchemin près du premier, celui de leur voyage au cœur de l'océan.

– Plus que deux ! murmure-t-elle.

Tom sort de son sac le livre sur le Far West, le remet avec les autres :

– On y va ?

Léa ne répond pas. Elle fixe le volume, les yeux écarquillés.

– Qu'est-ce qu'il y a ?

– Lis ! dit Léa en pointant la couverture.

Tom reprend le livre. Il lit le titre à haute voix : *Le Far West sauvage.*

Il regarde sa sœur :

– Et alors ?

– Lis tout !

Sous le titre, il y a le nom de l'auteur : *Slim Cooley.*

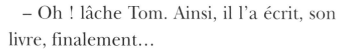

– Oh ! lâche Tom. Ainsi, il l'a écrit, son livre, finalement…

Il ouvre l'album. Léa se penche pour regarder. Au bas de la première page, ils lisent : *Texas Éditions, 1895.*

Sur la page, il y a une dédicace : *Un grand merci à Couette Blonde et à Doubles Carreaux, sans qui ce livre n'aurait jamais été écrit.*

– Le Maigre nous a dédicacé son livre ! murmure Tom.

Il le replace doucement avec les autres.

Puis les deux enfants descendent de la cabane. Le vent du soir agite les feuilles, les oiseaux pépient dans les branches.

– Que c'est paisible, ici ! remarque Tom. Pas de serpent à sonnettes, pas de voleurs de chevaux, pas de fantôme !

– Pas de gentil cow-boy non plus !

– C'est vrai. Mais, quand nous relirons son livre, il sera encore un peu avec nous.

– Comme un écho venu du passé ?

– C'est ça, comme un écho…

À cet instant, une voix appelle :

– Tom ! Léa !

– Ça, dit Tom, ce n'est pas un écho. C'est papa !

Et tous deux s'élancent en criant :

– On arrive !

À suivre

Découvre vite la suite
des aventures de Tom et Léa dans
Dans la gueule des lions.

La cabane magique

propulse
Tom et Léa
dans la
savane africaine

★ 3 ★
Léa disparaît

– Alors, Tom, tu viens ? lance Léa, déjà presque arrivée au bord de la rivière.

– Tout de suite !

Mais, avant de s'éloigner de la cabane, Tom voudrait en savoir un peu plus sur tous ces animaux.

Il se plonge dans le livre :

La girafe se nourrit surtout de feuilles
qu'elle attrape en haut des arbres.
Elle broute aussi de l'herbe, mais elle doit
écarter ses longues jambes pour se baisser.
Ses sabots sont aussi grands que des assiettes,
Et ses coups de patte sont terribles !
Les lions s'en méfient,
ils attaquent rarement les girafes.

« Ça, pense Tom, c'est intéressant… »

Il continue sa lecture :

Les zèbres vivent en troupeau.
Ils ont tous des rayures différentes.
C'est ainsi qu'ils se reconnaissent entre eux.
Les petits doivent se rappeler quelle sorte
de rayures porte leur maman !

Le garçon observe un groupe de zèbres paissant non loin de là. Il essaie de repérer leurs différences. Mais le soleil l'éblouit, les rayures se mélangent devant ses yeux. Il cligne des paupières et se remet à sa lecture :

Lorsque les gnous commencent leur migration,
les zèbres se mêlent à eux pour traverser
la rivière. C'est une façon de se protéger
des fauves à l'affût.

Tom relève la tête, inquiet : *les fauves…*

Pour l'instant, il n'y en a pas à l'horizon. Mais mieux vaut être prudent !

Là-bas, sur la rive, Léa court entre les bêtes en criant :

★ ★ ★ ★ ★ ★ ★ ★ ★ ★

– Venez ! Suivez-moi ! Là-bas, c'est plus facile pour traverser !

Elle saute, elle agite les bras.

Mais les gnous, les zèbres et les gazelles se contentent de la regarder d'un air étonné.

Tom soupire :

– Il faut que j'aille la calmer avant qu'elle ait des ennuis !

Il range le livre et le carnet et trotte vers la rivière. Le sac lui cogne les reins. Il a oublié de laisser les pots de miel et de confiture dans la cabane.

Il s'apprête à revenir sur ses pas quand il entend un grand cri. Tom scrute la rive, inquiet. Sa sœur n'est plus là ! Il appelle :

– Léa !

Pas de réponse.

– Léa !

La petite fille a disparu !

 Tom réussira-t-il à retrouver sa sœur Léa ?

Si tu as envie de nous donner
tes impressions sur la série
ou de nous parler de **tes propres voyages**
réels ou imaginaires,
n'hésite pas à nous écrire !

Bayard Éditions
Série Cabane Magique
18, rue Barbès
92128 Montrouge Cedex

N'oublie pas d'écrire
ton nom et ton adresse sur la lettre !